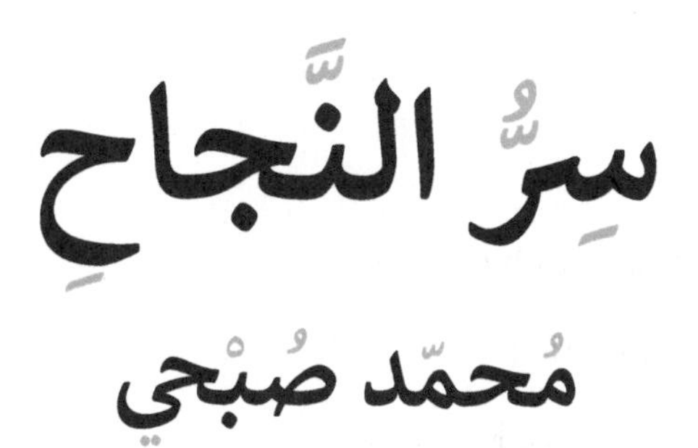

The Secret of Success

Modern Standard Arabic Reader – Book 5

by Mohamed Sobhy

ISBN: 978-1-949650-32-7

Written by Mohamed Sobhy

Edited by Matthew Aldrich

Arabic translation* by Lilia Khachroum

English translation by Mohamad Osman

Cover art by Duc-Minh Vu

Audio by Heba Salah Ali

** from the original Egyptian Arabic to Modern Standard Arabic*

website: www.lingualism.com

email: contact@lingualism.com

Introduction

The **Modern Standard Arabic Readers** series aims to provide learners with much-needed exposure to authentic language. The books in the series are at a similar level (B1-B2) and can be read in any order. The stories are a fun and flexible tool for building vocabulary, improving language skills, and developing overall fluency.

The main text is presented on even-numbered pages with tashkeel (diacritics) to aid in reading, while parallel English translations on odd-numbered pages are there to help you better understand new words and idioms. A second version of the text is given at the back of the book, without the distraction of tashkeel and translations, for those who are up to the challenge.

Visit the **Modern Standard Arabic Readers** hub at **www.lingualism.com/msar**, where you can find:

- **free accompanying audio** to download or stream (at variable playback rates)
- a **blog** with tips on using our Modern Standard Arabic readers to learn effectively

This book is also available in Egyptian Arabic at www.lingualism.com/ear.

سِرُّ النَّجاحِ

فِي صَباحِ يَوْمِ الْجُمُعَةِ، ذَهَبَ الْعَمُّ مُحَمَّدٌ، صاحِبُ الْمَقْهى، إلى الْمَسْجِدِ وَلَمَحَ وَلَدًا صَغيرًا.

قالَ الطِّفْلُ: "يا عَمّي أيْنَ الْمَسْجِدُ؟"

أَجابَ الْعَمُّ مُحَمَّدٌ: "اُنْظُرْ، سَوْفَ تَمْشي إِلى نِهايَةِ هَذا الشّارِعِ وَتَنْعَطِفُ يَمينًا، وَبَعْدَ ذَلِكَ بِشارِعَيْنِ، سَتَنْعَطِفُ يَمينًا مَرَّةً أُخْرى، وَسَتَجِدُهُ."

"شُكْرًا عَمّي!"

قالَ الْعَمُّ مُحَمَّدٌ: "اِنْتَظِرْ، اِنْتَظِرْ! أَنا ذاهِبٌ هُناكَ. تَعالَ مَعي."

أَجابَ الطِّفْلُ: "شُكْرًا لَكَ عَمّي. هَلْ تَذْهَبُ كُلَّ يَوْمٍ؟"

قالَ الْعَمُّ مُحَمَّدٌ: "لا، صَلاةُ الْجُمُعَةِ هِيَ يَوْمٌ فِي الأُسْبوعِ. أَلَيْسَ مِنَ الْعارِ أَنَّكَ كَبيرٌ وَلا تُعْرِفُ عَدَدَ مَرّاتِ صَلاةِ الْجُمُعَةِ فِي الأُسْبوعِ؟ أَمْ أَنَّكَ لا زِلْتَ صَغيرًا؟"

The Secret of Success

On a Friday morning, Uncle Muhammad, a coffee shop owner, went to the mosque and saw a little boy.

The child said, "Uncle, Uncle, where is the mosque?"

Uncle Muhammad replied, "Look, you will walk to the end of this street and take a right, and then in two blocks, you'll turn right again, and you'll find it."

"Thank you, Uncle!"

Uncle Muhammad said, "Wait, wait! I am going there, actually. Come with me."

The child replied, "Thank you, Uncle. Do you go every day?"

Uncle Muhammad said, "No, the Friday prayer is one day a week. Isn't it a shame that you're so big and you don't know how many times a week Friday prayer is? Or are you still too little?"

فَأجابَ الطِّفْلُ: "لا، لا، لا، أنا لَسْتُ صَغيرًا. عُمْري عَشْرُ سَنَواتٍ كامِلَةٍ."

ضَحِكَ الْعَمُّ مُحَمَّدٌ وَقالَ: "حَسَنًا، تَعالَ بِسُرْعَةٍ، قَبْلَ أَنْ تَفوتَنا الصَّلاةُ."

ذَهَبَ الْعَمُّ مُحَمَّدُ والطِّفْلُ إِلى الْمَسْجِدِ، وَجَلَسَ الطِّفْلُ بِجانِبِ الْعَمِّ مُحَمَّدٍ وَصَلّى. وَعِنْدَما خَرَجا مَعًا مِنَ الْمَسْجِدِ، سَأَلَهُ الْعَمُّ مُحَمَّدٌ: "حَسَنًا، هَلْ أَحْبَبْتَ الْخُطْبَةَ؟"

فَأَجابَ الطِّفْلُ: "نَعَمْ، هَذِهِ الْمَرَّةُ الْمِلْيونَ الَّتي يُلْقي فيها نَفْسَ الْخُطْبَةِ!"

"لا! اِنْتَبِهْ في الْمَرَّةِ الْقادِمَةِ لِأَنَّهُ يَقولُ شَيْئًا جَديدًا."

"في الْمَرَّةِ الْقادِمَةِ!" هَرَبَ الطِّفْلُ.

❖ ❖ ❖

اِلْتَقى الْعَمُّ مُحَمَّدٌ بِإِسْماعيلَ في الطَّريقِ. إِسْماعيلُ هُوَ صاحِبُ عَرَبَةِ فولٍ في نَفْسِ الْحَيِّ، وَكِلاهُما يَفْتَحانِ دَكاكينَهُما مَعًا كُلَّ يَوْمٍ.

The child replied, "No, no, no! I'm not little. I'm a whole ten years old."

Uncle Muhammad laughed and said, "Okay, come on, quickly then, before we miss the prayer."

Uncle Muhammad and the child went to the mosque, and the child sat next to Uncle Muhammad and prayed. And when they together went out of the mosque, Uncle Muhammad asked him, "Well then, did you like the sermon?"

The child replied, "Oh, this is the millionth time he has told the same sermon!"

"No! Pay attention next time because he does say something new."

"Next time, next time." The child ran off.

Uncle Muhammad ran into Ismail on the way. Ismail is the owner of a ful cart in the same neighborhood, and they both open their shops together every day.

سَألَهُ الْعَمُّ مُحَمَّدٌ: "كَيْفَ حالُكَ يا إِسْماعيلُ؟ كَيْفَ الْحالَ؟"

أَجابَ إِسْماعيلُ: "الْحَمْدُ لِلَّهِ يا عَمُّ مُحَمَّدٍ، كُلُّ شَيْءٍ عَلى ما يُرامُ."

الْعَمُّ مُحَمَّدٌ: "حَسَنًا، مِنَ الأَفْضَلِ أَلّا تَتَأَخَّرَ عَنِ الْعَمَلِ."

"سَأَبْدَأُ الْعَمَلَ الآنَ. لَكِنَّني سَأَعودُ إِلى الْمَنْزِلِ أَوَّلًا. أَعْطِني خَمْسَ دَقائِقَ فَقَطْ."

صَعِدَ إِسْماعيلُ إِلى شَقَّتِهِ، الَّتي كانَتْ بِجِوارِ مَقْهى الْعَمِّ مُحَمَّدٍ، لَكِنَّهُ تَأَخَّرَ وَلَمْ يَنْزِلْ.

تَجَمَّعَ النّاسُ حَوْلَ عَرَبَةِ الْفولِ وَكانوا يَنْتَظِرونَ إِسْماعيلَ لِيَنْزِلَ حَتّى يَتَمَكَّنوا مِنْ تَناوُلِ الطَّعامِ مِنْ عَرَبَةِ الْفولِ مِثْلَ كُلَّ يَوْمٍ.

لَكِنَّهُ لَمْ يَنْزِلْ عَلى الإِطْلاقِ.

قالَ أَحَدُ النّاسِ: "يا عَمُّ مُحَمَّدٍ، لِماذا لا تَتَّصِلُ بِالْعَمِّ إِسْماعيلَ؟ النّاسُ يُريدونَ أَنْ يَأْكُلوا."

قالَ الْعَمُّ مُحَمَّدٌ: "اِهْدَأوا جَميعًا. قَدْ تَكونُ هُناكَ مُشْكِلَةٌ. أَنا مُتَأَكِّدٌ مِنْ أَنَّهُ سَيَنْزِلُ بَعْدَ قَليلٍ."

Uncle Muhammad asked him, “How are you, Ismail? How’s it going?”

Ismail replied, “Praise be to God, Uncle Muhammad, everything is fine.”

Uncle Muhammad, “All right, you’d best not be late for work.”

“I’ll start working now. But I’ll go home first–give me just five minutes.”

Ismail went upstairs to his apartment, which was next to Uncle Mohammad’s coffee shop, but was late and didn’t come [back] down.

People gathered around the ful cart and were waiting for him to come down so they could eat from the ful cart like every day.

But he didn’t come down at all.

One of the people said, “Hey, Uncle Muhammad, why don’t you call Uncle Ismail? People want to eat.”

Uncle Muhammad said, “Calm down, everyone. There might be a problem. I’m sure he’ll be down in a bit.”

مَرَّتْ ساعَةٌ، ساعَتانِ، ثَلاثٌ، واخْتَفى النّاسُ. كانَ الْعَمُّ مُحَمَّدٌ قَلِقًا عَلى إِسْماعيلَ.

نادى الْعَمُّ مُحَمَّدُ الْبَوّابَ وَقالَ: "اِصْعَدْ لِتَرى لِمَ لَمْ يَنْزِلْ إِسْماعيلُ."

صَعِدَ الْبَوّابُ إِلى الْبَيْتِ. وَهُوَ أَيْضًا لَمْ يَنْزِلْ، وَحَتّى إِسْماعيلُ لَمْ يَنْزِلْ.

بَدَأَ الْعَمُّ مُحَمَّدٌ في الْقَلَقِ وَصَعِدَ بِسُرْعَةٍ إِلى بَيْتِ إِسْماعيلَ.

رَأى الْعَمُّ مُحَمَّدُ الْبَوّابَ عِنْدَ الْبابِ وَسَأَلَهُ: "لِماذا لَمْ تُخْبِرْ إِسْماعيلَ أَنْ يَنْزِلَ؟"

فَقالَ الْبَوّابُ: "واللهِ يا عَمّي مُحَمَّد طَرَقْتُ الْبابَ وَلَكِنْ لَمْ يُجِبْني أَحَدٌ."

"أوه، لا! حَسَنًا، هُناكَ بِالتَّأْكيدِ مُشْكِلَةٌ."

كانَ الْعَمُّ مُحَمَّدُ والْبَوّابُ يَطْرُقانِ الْبابَ بِقُوَّةٍ.

نادى الْعَمُّ مُحَمَّدٌ: "هَلْ مِنْ أَحَدٍ هُناكَ؟!"

فَتَحَ إِسْماعيلُ الْبابَ.

An hour passed–two, three–and the people were gone. Uncle Muhammad was worried about Ismail.

Uncle Muhammad told the doorman to go up and see why Ismail hadn't come down.

The doorman went upstairs. And he, too, did not come [back] down, nor did Ismail.

Uncle Muhammad started to worry and quickly went up to Ismail's place.

Uncle Muhammad saw the doorman by the door and asked him, "Why didn't you tell Ismail to come down?"

The doorman replied, "By God, Uncle Muhammad, I've been knocking on the door, but no one answered."

"Oh, no! Well then, there's definitely a problem."

Uncle Muhammad and the doorman banged on the door hard.

Uncle Muhammad called out. "Is anyone there?!"

قالَ الْعَمُّ مُحَمَّدٌ: "ما هَذا يا إِسْماعيلُ؟ لَقَدْ أَخَفتَنا عَلَيك. لَمْ تَنْزِلْ مُنْذُ وَقْتٍ طَويلٍ، وَغادَرَ النّاسُ."

أَجابَ إِسْماعيلُ: "لا بَأسَ يا عَمُّ مُحَمَّدٍ. ابْني طارِقُ لَمْ يَذْهَبْ لِلصَّلاةِ وَهُوَ مُسْتاءٌ مُنْذُ الأَمْسِ."

"أوه، هَلِ الْمَوْضوعُ كَبيرٌ أَمْ ماذا؟"

"أُدْخُلْ وَتَحَدَّثْ مَعَهُ. رُبَّما يُمْكِنُكَ فَهْمُهُ."

دَخَلَ الْعَمُّ مُحَمَّدٌ إِلى طارِقٍ وَسَأَلَهُ: "ما بِكَ يا بُنَيَّ؟ ما الأَمْرُ؟ ما الَّذي يُضايِقُكَ؟"

لَمْ يَرُدَّ طارِقٌ.

قالَ الْعَمُّ مُحَمَّدٌ: "أَخْبِرْني حَتّى أَتَمَكَّنَ مِنْ مُساعَدَتِكَ. ما الَّذي يُضايِقُكَ؟"

أَجابَ طارِقُ أَخيرًا: "أُنْظُرْ يا عَمُّ مُحَمَّدٍ، بِصَراحَةٍ، لَمْ نَكُنْ قادِرينَ عَلى جَعْلِكُمْ تَفْتَخِرونَ بِنا."

"نَفْتَخِرُ بِكُمْ في ماذا يا طارِقُ؟"

"كُلَّ مُباراةٍ نَلْعَبُها نَخْسَرُها. لَمْ نَتَعادَلْ وَلا مَرَّةٍ واحِدَةٍ."

Ismail opened the door.

Uncle Muhammad said, “What, Ismail, you frightened us over you. You haven’t come down for an hour, and the people have left.”

Ismail answered, “Never mind then, Uncle Muhammad. My son, Tariq, didn’t go pray and has been upset since yesterday.”

“Oh, is it a major issue or what?”

“Go in and a talk to him. Maybe that way, you can understand him.”

Uncle Mohammad went in to [see] Tariq and asked him, “What’s wrong, my son? What is it? What’s upsetting you?”

Tariq wasn’t answering.

Uncle Muhammad said, “Tell me so I can help you. What’s upset you?”

Tariq finally replied, “Look, Uncle Muhammad, to be honest, we weren’t able to do you proud.”

“Do us proud in what, Tariq?”

“Every match we play, we lose. We haven’t even tied once.”

"وما الْمُشْكِلُ؟ اللَّعِبُ هُوَ فوْزٌ وَخسارَةٌ."

"لا، يا عَمُّ مُحَمَّدٍ، الْمَوْضوعُ كبيرٌ، وَلَيْس صَغيرٌ كما تَعْتَقِدُ."

قالَ الْعَمُّ مُحَمَّدٌ: "أَنتَ وَأَصْدِقاؤُكَ بحاجَةٍ إلى مَزيدٍ مِنَ التَّدْريبِ والذَّهابِ إلى صالَةِ الألعابِ الرِّياضِيَّةِ الْمُجاوِرَةِ لِلْمَلْعَبِ."

"في الْواقِعِ، فَريقُنا ضَعيفٌ لِلْغايَةِ، عَلى الرَّغْمِ مِنْ أَنَّنا كَثيرونَ وَلَدَيْنا عَدَدٌ كَبيرٌ مِنَ اللّاعِبينَ."

قالَ الْعَمُّ مُحَمَّدٌ: "الأَرْقامُ لَيْسَتْ كُلَّ شَيْءٍ. عَلَيْكَ أَنْ تَكونَ قَوِيًّا في الْمَيْدانِ... وَلا تَبْقى مُنْزَعِجًا كَثيرًا هَكَذا."

"حَسَنًا يا عَمّي." ذَهَبَ طارِقُ إِلى والِدِهِ وَقالَ: "آسِفٌ يا أَبي."

رَبَّتَ إِسْماعيلُ عَلَيْهِ وَقالَ لَهُ: "لا تَقْلَقْ يا بُنَيَّ. الْمُهِمُّ الآنَ أَنْ تُخْبِرَ أَصْدِقائَكَ أَنْ يَذْهَبوا إِلى صالَةِ الأَلْعابِ الرِّياضِيَّةِ، تَمامًا كَما أَخْبَرَكَ الْعَمُّ مُحَمَّدٌ."

قالَ الْعَمُّ مُحَمَّدٌ: "هَذا يَكْفي يا إِسْماعيلُ. اُتْرُكِ الْوَلَدَ وَشَأْنَه. إِنَّهُ كَبيرٌ وَيَتَفَهَّمُ."

"So what? Playing consists of winning and losing."

"No, Uncle Muhammad, it's a big deal, not a little deal like you think."

Uncle Muhammad said, "You and your friends need to train more and go to the gym next to the stadium."

"Indeed, our team is very weak, although there are many of us–a good number of players."

Uncle Muhammad said, "Numbers are not everything. You have to be strong on the field... and don't remain upset like this for long."

"Yes, Uncle." Tariq went to his father and said, "Sorry, Dad."

Ismail patted him on the back and said to him, "Don't worry, son. What's important now is to tell your friends to go to that gym, just as Uncle Muhammad told you."

"That's enough, Ismail. Leave the boy alone. He's old enough and understands," Uncle Muhammad said.

نَزَلَ الْعَمُّ مُحَمَّدٌ وَإِسْماعيلُ إلى الْمَقْهى.

قالَ إِسْماعيلُ: "ما رَأْيُكَ أَنْ نَذْهَبَ إِلى الْمَزْرَعَةِ وَنَتَجَوَّلَ قَليلًا؟"

أَجابَ الْعَمُّ مُحَمَّدٌ: "حَسَنًا، لِنَذْهَبْ. أوهْ، وَأَخْبِرْني، ما الَّذي تَزْرَعُهُ هَذِهِ السَّنَةَ؟"

"هَذا يَعْتَمِدُ عَلى ما يُريدُهُ السّوقُ، وَلَكِنْ في الْغالِبِ الْفولُ لِعَرَبَةِ الْفولِ الخاصَّةِ بي."

"في الْواقِعِ يا إِسْماعيلُ. عَرَبَةُ الْفولِ الْخاصَّةِ بِكَ لَها طَعْمٌ مُخْتَلِفٌ. لِيُنيرَكَ اللهُ."

"شُكْرًا لَكَ يا عَمُّ مُحَمَّدٍ."

❖ ❖ ❖

بَدَآ بِالسَّيْرِ في الشّارِعِ الْواسِعِ بَيْنَما كانَ الأَطْفالُ الصِّغارُ يُطارِدونَ بَعْضِهِمِ الْبَعْضَ.

قالَ الْعَمُّ مُحَمَّدٌ: "أَتَعْرِفُ، يا إِسْماعيلُ... لَوْ كانَ ابْني هُنا، لَكانَ سَعيدًا جِدًّا الآنَ."

Uncle Muhammad and Ismail went down to the coffee shop.

Ismail said, “What do you think about us going to the farm and walking around a bit?”

Uncle Muhammad replied, “All right, let’s go. Oh, and tell me, what are you growing this year?”

“It depends on what the market wants, but mostly ful beans for my cart.”

“Indeed, Ismail. Your ful cart has a different taste. May God enlighten you.”

“Thank you, Uncle Muhammad.”

They started walking down the wide street as little kids were chasing each other.

Uncle Muhammad said, “You know, Ismail... if my son were here, he’d be very happy right now.”

أجابَ إسْماعيلُ: "لِماذا؟"

"ألا تَرى مَنْظَرَ السَّماءِ؟ ابْني يُحبُّ التِقاطَ الصُّوَرِ وَيُحبُّ التِقاطَ الصُّوَرِ لِلسَّماءِ والشَّمْسِ وَما إلى ذلِكَ."

"نَعَمْ، بِصَراحَةٍ غُروبُ الشَّمْسِ جَميلٌ لِلْغايَةِ هُنا. لَوْنُ الأَشْجارِ الأَخْضَرِ وَلَوْنُ السَّماءِ الأَزْرَقِ مُريحٌ لِلْعَيْنِ."

قالَ العَمُّ مُحَمَّدٌ: "خُصوصًا عِنْدَما يَكونُ الْجَوُّ هادِئًا."

جاءَ الصَّبِيُّ الصَّغيرُ الَّذي كانَ يُصَلّي مَعَ الْعَمِّ مُحَمَّدٍ وَظَلَّ يَضْرِبُ عَلى ظَهْرِ الْعَمِّ مُحَمَّدٍ وَقالَ: "عَمّي يا عَمّي!"

قالَ الْعَمُّ مُحَمَّدٌ: "مَرْحَبًا!"

"أَتَذْكُرُني؟" سَأَلَ الصَّبِيُّ.

"بِالطَّبْعِ، أنا أَتَذَكَّرُكَ!"

قالَ إسْماعيلُ: "مَنْ هَذا يا عَمُّ مُحَمَّدُ؟"

"هَذا فَتًى لَطيفٌ كانَ يُصَلّي مَعَنا."

Ismail replied, “Why is that?”

“Do you not see the sky’s appearance? My son loves taking photos and loves taking photos of the sky, the sun, and whatnot.”

“Yes. Honestly, the sunset is very beautiful here. The green color from the trees and the blue color of the sky is pleasant to the eye.”

Uncle Muhammad said, “Especially when the weather is calm.”

The little boy who had been praying with Uncle Muhammad came and kept banging on Uncle Muhammad’s back and said, “Uncle, Uncle!”

Uncle Muhammad said, “Hello!”

“Remember me?” the boy asked.

“Of course, I remember you!”

Ismail said, “Who is this, Uncle Muhammad?”

“This is a fine boy who was praying with us.”

سَألَ الطِّفْلُ الصَّغيرُ: "لِماذا كانَتِ الشَّمْسُ بُرْتُقاليَّةً بِالْأَمْسِ، والآنَ لَوْنُها أصْفَرُ؟ وَفي الصَّباحِ كانَ لَوْنُها أَبْيَضُ، أَلَيسَ كَذَلِكَ؟"

أجابَ الْعَمُّ مُحَمَّدٌ: "اللَّونانِ الْبُرْتُقالِيُّ والْأَصْفَرُ يَكونانِ في وَقْتِ شُروقِ الشَّمْسِ وَغُروبِها. أمّا اللَّوْنُ الأَبْيَضُ فَهُوَ عِنْدَ الظُّهْرِ أَوِ الظَّهيرَةِ."

قالَ الصَّبِيُّ: "أوهْ! فَهِمْتُ، فَهِمْتُ. حَتّى لا نَشْعُرَ بِالْمَلَلِ مِنْ لَوْنٍ واحِدٍ!"

ضَحِكَ الْعَمُّ مُحَمَّدٌ وإِسماعيلُ مَعَ الصَّبِيِّ.

❖ ❖ ❖

جَمَعَ طارِقُ رِفاقَهُ وَقالَ لَهُمْ: "اُنْظُروا الآنَ، عَلَيْنا أَنْ نَفوزَ بِالْمُباراةِ الْقادِمَةِ مَهْما حَدَثَ."

قالَ أَحَدُ أَعْضاءِ الْفَريقِ: "حَسَنًا، نَقولُ ذَلِكَ في كُلِّ مَرَّةٍ. ماذا سَيَتَغَيَّرُ؟ سَنَخْسَرُ مَرَّةً أُخْرى."

قالَ طارِقُ: "هَيّا، كُنْ شُجاعًا! سَنَتَدَرَّبُ وَنَذْهَبُ إِلى صالَةِ الْأَلْعابِ الرِّياضِيَّةِ، وَنُصْبِحُ أَقْوِياءَ، وَنَفوزُ!"

The little boy asked, “Why was the sun orange yesterday, and now its color is yellow? And in the morning, its color was white, huh, why?”

Uncle Muhammad replied, “The orange and yellow colors are here during the time of sunrise and sunset. As for the white color, that is at the midday–or noon.”

The boy said, “Oh! I understand, I understand. It’s so that we don’t get bored with one color!”

Uncle Muhammad and Ismail laughed with the boy.

Tariq gathered his companions and said to them, “Look, now... we have to win this upcoming match no matter what happens.”

One of the team said, “Well, we say that every time. What [do you think] will change? We’ll lose again just the same.”

Tariq said, “Come on, be brave! We’ll train and go to the gym, become strong, and win!”

قالَ شَخْصٌ آخَرُ مِنَ الْفَريقِ: "بِصَراحَةٍ، أنا خائِفٌ مِنْ لَعِبِهِمْ مَرَّةً أُخْرى. كُلُّ واحِدٍ مِنْهُمْ طَويلٌ وَعَريضٌ وَضَخْمٌ، وَأَشْعُرُ أَنَّنا ضُعَفاءُ."

أَجابَ طارِقُ: "بِالْمُناسَبَةِ، لَدَيْنا أَيْضًا أَشْخاصًا كِبارًا. والَّذينَ سَيَتَدَرَّبونَ أَكْثَرَ سَيَفوزونَ، وَسَنَكونُ الْفائِزينَ! اِتَّفَقْنا؟"

قالَ جَميعُ أَصْدِقاءِ طارِقٍ: "نَحْنُ مُتَّفِقونَ!"

ذَهَبَ طارِقُ مَعَ أَصْدِقائِهِ إِلى صالَةِ الأَلْعابِ الرِّياضِيَّةِ، وَظَلّوا يَتَدَرَّبونَ كُلَّ يَوْمٍ حَتّى حانَ مَوْعِدُ الْمُباراةِ.

"هَيّا، الْيَوْمُ النَّصْرُ لَنا! هَيّا، هَيّا بِسُرْعَةٍ، أَوْ سَوْفَ نَتَأَخَّرُ!"

رَكَضَ الصَّبِيُّ الصَّغيرُ نَحْوَهُمْ وَقالَ لَهُمْ: "هَلْ يُمْكِنُني أَنْ آتِيَ مَعَكُمْ؟"

قالَ طارِقُ: "لا، لا تَسْتَطيعُ."

"لَكِنّي أَلْعَبُ بِشَكْلٍ جَيِّدٍ، أُقْسِمُ بِاللهِ."

"بُنَيَّ، أَنْتَ صَغيرٌ جِدًّا... اِبْتَعِدِ الآنَ. سَتَتَأَذّى."

Another person from the team said, “Honestly, I’m scared to play them again. Every one of them is tall and wide and huge, and I feel that we’re weak.”

Tariq replied, “We also have huge people among us, by the way. And the ones who’ll train more will win, and we’ll be the ones to win! Do we agree?”

Tariq’s friends all said, “We agree!”

Tariq went with his friends to the gym, and they kept training every day until the time of the match came.

“Come on, today victory is for us! Come on, come on quickly, or we’ll be late!”

The little boy ran toward them and said to them, “Can I come with you?”

Tariq said, “No, you can’t.”

“But I play really well, I swear to God.”

“Son, you’re too young... Go away now. You’ll get hurt.”

قالَ الطِّفْلُ: "حسَنًا، سَأَحْضُرُ وَأُشاهِدُ فَقَطْ. لَنْ أُصْدِرَ صَوْتًا."

قالَ طارِقُ: "حَسَنًا، تعالَ!"

❖ ❖ ❖

ذَهَبَ الْفريقُ في طَريقِهِ إلى الْمَلْعَبِ، وَسارَ الطِّفْلُ الصَّغيرُ مَعَهُمْ.

قالَ الطِّفْلُ الصَّغيرُ: "لِماذا يَرْتَدي جميعُكُمْ قُمْصانًا بُرْتُقالِيَّةً؟"

أَجابَ طارِقُ: "حَتّى نَتَعَرَّفَ على بَعْضِنا الْبَعْضَ عِنْدَما نَلْعَبُ. نَرْتَدي اللَّوْنَ الْبُرْتُقالِيَّ والْآخَرونَ يَرْتَدونَ اللَّوْنَ الأَزْرَقَ."

قالَ الطِّفْلُ: "هَلْ تَعْلَمُ أَنَّ اللَّوْنَ الْبُرْتُقالِيَّ هُوَ نَفْسُ لَوْنِ الشَّمْسِ؟"

"حَسَنًا... الآنَ، اُصْمُتْ حَتّى نَتَمَكَّنَ مِنَ التَّرْكيزِ قَبْلَ الْمُباراةِ."

وَظَلّوا يَمْشونَ وَيَمْشونَ حَتّى قالَ الطِّفْلُ: "آهْ، لِما الطَّريقُ طَويلٌ هَكَذا؟"

The child said, “Okay, I’ll come and just watch. I won’t make a sound.”

Tariq said, “All right, come on!”

The team went on the way to the stadium, and the little boy walked with them.

The little boy said, “Why do you all wear orange t-shirts?”

Tariq replied, “So that we recognize each other when we’re playing. We’re wearing orange, and the others will wear blue.”

The child said, “Do you know that the color orange is the same color as the sun?”

“Okay... now hush so we can concentrate before the match.”

And they kept walking and walking until the child said, “Ugh, why is it so far?”

أَجابَ طارِقُ: "لَقَدْ أَوْشَكْنا عَلى الْوُصولِ. الْمَلْعَبُ بِجِوارِ تِلْكَ الشَّجَرَةِ الْكَبيرَةِ هُناكَ."

قالَ الطِّفْلُ: "واوْ! لَقَدِ اتَّضَحَ أَنَّ الْمَلْعَبَ واسِعٌ لِلْغايَةِ!"

فَقالَ لَهُ طارِقُ: "اُنْظُرْ، اِجْلِسْ هُنا وَلا تَتَحَرَّكْ. شاهِدْ فَقَطْ."

"حَسَنًا."

بَدَأَتِ الْمُباراةُ بَيْنَ الْفَريقَيْنِ، وَكانَ فَريقُ طارِقٍ يَلْعَبُ بِشَكْلٍ جَيِّدٍ. وَمَعَ ذَلِكَ، كانَ الْفَريقُ الْآخَرُ أَقْوى. وَخَسِرَ فَريقُ طارِقٍ.

قالَ طارِقُ: "هَذا غَيْرُ مُمْكِنٍ! كَيْفَ يَحْدُثُ هَذا؟"

قالَ لَهُ صَديقُ طارِقَ: "قُلْتَ لَكَ، مِنَ الصَّعْبِ الْفَوْزُ عَلَيْهِمْ."

❖ ❖ ❖

سارَ طارِقُ مَعَ أَصْدِقائِهِ وَكانَ مُتَضايِقًا. واسْتَمَرَّ الطِّفْلُ فِي مُشاهَدَتِهِمْ وَهُمْ يَسيرونَ بَيْنَما كانَ الْفَريقُ الثّاني يَضْحَكُ وَيَرْقُصُ. ثُمَّ ذَهَبَ ذَلِكَ الطِّفْلُ الصَّغيرُ وَتَبِعَهُمْ حَتّى تَوَقَّفوا عِنْدَ مَحَلِّ عَصيرِ قَصَبِ السُّكَّرِ.

قالَ لاعِبٌ مِنَ الْفَريقِ الْآخَرِ: "الْحَمْدُ لِلَّهِ، لَوْلا عَصيرِ قَصَبِ السُّكَّرِ هَذا لَكُنّا نَخْسَرُ كُلَّ مَرَّةٍ."

Tariq replied, “We’re almost there. The stadium is next to that big tree over there.”

The child said, “Wow! The stadium turned out to be very spacious!”

Tariq said to him, “Look, sit here and don’t move. Just watch.”

“Okay.”

The match started between the two teams, and Tariq’s team was playing well. However, the other team was stronger. And Tariq’s team lost.

Tariq said, “This isn’t possible! How could this happen?”

Tariq’s friend said to him, “I told you... it’s hard to beat them.”

Tariq, upset, walked with his friends. And the child kept watching them as they walked while the second team was laughing and dancing. That little boy then went and followed them until they stopped at a sugarcane juice shop.

A player from the other team said, “Praise be to God! If it wasn’t for this sugarcane juice, we’d be losing each time.”

قالَ لاعِبٌ آخَرٌ: "عَصيرُ قَصَبِ السُّكَّرِ هُوَ أَكْثَرُ ما أُحِبُّ شُرْبَهُ!"

قالَ صاحِبُ مَحَلِّ عَصيرِ قَصَبِ السُّكَّرِ: "في أَيِّ وَقْتٍ يا رِفاقُ! وَمَبْروكٌ الْفَوْزَ!"

ضَحِكَ الْفَريقُ بِأَكْمَلِه، وَرَكَضَ الطِّفْلُ مُسْرِعًا لِيُخْبِرَ طارِقٍ بِما رَآهُ.

ثُمَّ أَوْقَفَهُ رَجُلٌ عَجوزٌ. قالَ الرَّجُلُ العَجوزُ: "إِلى أَيْنَ أَنْتَ ذاهِبٌ؟"

أَجابَ الطِّفْلُ: "أَنا أَعيشُ في الْجانِبِ الآخَرِ، يا عَمّي، بِجانِبِ ذَلِكَ الْمَبْنى العالي."

سَأَلَ الرَّجُلُ العَجوزُ: "وَأَيْنَ والِدُكَ؟"

"أَبي يَعيشُ هُناكَ، في شَقَّةٍ في هَذا الْمَبْنى."

لَمْ يُصَدِّقِ الرَّجُلُ العَجوزُ الصَّبِيَّ، فَأَخَذَهُ إِلى مَحَلِّ عَصيرِ قَصَبِ السُّكَّرِ.

سَأَلَ الرَّجُلُ العَجوزُ: "هَلْ يَعْرِفُ أَحَدٌ ابْنُ مَنْ هَذا؟"

Another player said, “Sugarcane juice is the thing I like to drink the most!”

The owner of the sugarcane juice shop said, “Anytime, guys! And congratulations on the win!”

The whole team laughed, and the child ran quickly to tell Tariq what he had seen.

Then an old man stopped him. The old man said, “Where are you going?”

The child replied, “I live on the other side, Uncle, next to that tall building.”

The old man asked, “And where is your dad?”

“Dad lives over there, in the apartment in this building.”

The old man didn’t believe the boy, so he took him to the sugarcane juice shop.

The old man asked, “Does anyone know whose son this is?”

أجابَ صاحِبُ مَحَلِّ عَصيرِ الْقَصَبِ: "لا، هَذِهِ الْمَرَّةُ الأولى الَّتي أَراهُ فيها."

"حَسَنًا، راقِبْهُ حَتّى أَسْأَلَ صاحِبَ الْمَقْهى عَنْهُ."

ذَهَبَ الْعَجوزُ وَتَرَكَ الطِّفْلَ الَّذي ظَلَّ يَبْحَثُ في الدُّكّانِ وَوَجَدَ بِجانِبِهِ كوبَ عَصيرٍ وَشَرِبَهُ.

صاحَ صاحِبُ مَحَلِّ عَصيرِ قَصَبِ السُّكَّرِ قائِلًا: "ماذا شَرِبْتَ لِلتَّوِّ؟ لِماذا لَمْ تَسْأَلْني أَوَّلًا؟ اُخْرُجْ مِنْ هُنا، اُخْرُجْ!"

هَرَبَ الطِّفْلُ مِنَ الْمَتْجَرِ. وَرَآهُ الرَّجُلُ الْعَجوزِ يَجْري.

ذَهَبَ الْعَجوزُ إِلى صاحِبِ مَحَلِّ عَصيرِ قَصَبِ السُّكَّرِ بِسُرْعَةٍ وَقالَ لَهُ: "لِماذا تَرَكْتَهُ يَذْهَبُ؟"

فَأَجابَ صاحِبُ مَحَلِّ عَصيرِ الْقَصَبِ: "هَرَبَ وَحْدَهُ."

كانَ بَعْضُ النّاسِ يَرْكُضونَ وَراءَ هَذا الطِّفْلِ، لَكِنَّهُ كانَ أَسْرَعَ، وَوَصَلَ إِلى الْمَنْزِلِ قَبْلَهُمْ.

❖ ❖ ❖

حالَما فَتَحَ بابَ الْمَبْنى، رَأى طارِقَ وَهُوَ مُتْعَبٌ جِدًّا.

The owner of the cane juice shop replied, "No, this is the first time I've seen him."

"Okay, keep an eye on him until I ask the owner of the coffee shop about him."

The old man went and left the child, who kept looking in the shop and found a cup of juice next to him and drank it.

The owner of the sugarcane juice shop shouted and said, "What did you just drink? Why didn't you ask me first? Get out of here, now!"

The child ran out of the shop. And the old man saw him running.

The old man went to the owner of the sugarcane juice shop quickly and told him, "Why did you let him go?"

The owner of the cane juice shop replied, "He ran off on his own."

Some people were running after this child, but he was faster, and he reached home before them.

As soon as he opened the door to the building, he saw Tariq, who was very tired.

سَألَهُ طارِقُ: "لِماذا تَلْهَثُ هَكَذا؟"

فَأجابَ الطِّفْلُ: "أَنا مُتْعَبٌ حَقًّا."

"أَخْبِرْني بِما حَدَثَ؟"

قالَ الطِّفْلُ: "أَعْرِفُ لِماذا هَزَمَكُمُ الْفَريقُ الآخَرُ." ثُمَّ أُغْمِيَ عَلَيْهِ.

صاحَ طارِقُ: "اِسْتَيْقِظْ! ما بِكَ؟ ماذا حَدَثَ؟"

دَعا طارِقُ والِدَهُ. وَذَهَبَ إِسْماعيلُ والْعَمُّ مُحَمَّدٌ إِلى هَذا الطِّفْلِ. رَشّا الْماءَ عَلى وَجْهِهِ.

وَعِنْدَما اسْتَعادَ الصَّبِيُّ وَعْيَهُ، قالَ لَهُ الْعَمُّ مُحَمَّدٌ: "ما بِكَ يا بُنَيَّ؟ ما الَّذي حَدَثَ؟"

أَجابَ الطِّفْلُ: "رَكَضوا وَرائِي، لَكِنَّني تَمَكَّنْتُ مِنَ الْهُروبِ."

"أَحْسَنْتَ! وَلَكِنْ ماذا حَدَثَ؟"

"بَعْدَ أَنْ خَسِرْتُمُ الْمُباراةَ، تَبِعْتُهُمْ حَتّى سَمِعْتُهُمْ يَتَحَدَّثونَ عَنْ عَصيرِ قَصَبِ السُّكَّرِ وَكَيْفَ أَنَّهُ سَبَبُ فَوْزِهِمْ دائِمًا. وَهُوَ عَصيرٌ أَصْفَرُ."

Tariq asked him, “Why are you panting so much?”

The child replied, “I’m really tired.”

“Tell me... What happened?”

The kid said, “I know why the other team beat you.” And then he fainted.

Tariq shouted, “Wake up! What’s wrong with you? What happened?”

Tariq called his father. And Ismail and Uncle Muhammad went to this child. They sprayed water on his face.

And when the kid regained consciousness, Uncle Muhammad said to him, “What’s wrong, son? What happened?”

The child replied, “They ran after me, but I was able to get away.”

“Good boy! But what happened?”

“After you lost the match, I went after them until I heard them talking about the sugarcane juice and how it’s the reason they always win. It’s this yellowish juice.”

قالَ طارِقُ: "نَعَمْ، نعَمْ، أعْرِفُ ذَلِكَ. ذَلِكَ الأَصْفَرُ. لَكِنْ هَلْ أَنْتَ مُتَأَكِّدٌ أَنَّكَ سَمِعْتَهُمْ يَقُولونَ ذَلِكَ؟"

أَجابَ الطِّفْلُ: "نَعَمْ، وَبِالْمُناسَبَةِ، عِنْدَما شَرِبْتُ الْعَصِيرَ، شَعُرْتُ أَنَّي أَسْرَعَ وَأَنَّي أَسْتَطيعُ الْهُروبَ مِنْهُمْ."

قالَ طارِقُ: "يَجِبُ أَنْ أَذْهَبَ وَأُعْلِمَ أَصْدِقائِي بِهَذا."

❖ ❖ ❖

رَكَضَ طارِقُ بِسَعادَةٍ وَأَخْبَرَ أَصْدِقاءَهُ.

قالَ أَحَدُ أَصْدِقائِهِ: "لَكِنْ لَيْسَ لَدَيْنا مَنْ يَبيعُ عَصيرَ قَصَبِ السُّكَّرِ هُنا."

أَجابَ طارِقُ: "لا مُشْكِلَةَ. سَنَزْرَعُ قَصَبَ السُّكَّرِ فِي بَعْضِ الأَراضي، لَكِنِ الْمُشْكِلَةُ أَنَّ أَرْضَ والِدي صَغيرَةٌ جِدًّا."

قالَ شَخْصٌ آخَرُ مِنَ الْفَريقِ: "أَبِي لَدَيْهِ أَرْضٌ واسِعَةٌ، وَيُمْكِنُنا أَنْ نَجِدَ مَكانًا هُناكَ لِلزَّرْعِ."

"حَسَنًا. اِتَّفَقْنا!"

Tariq said, "Yes, yes, I know it... that yellow one. But are you sure you heard them say that?"

The child replied, "Oh, and, by the way, when I drank the juice, I felt that I was faster and that I could escape from them."

Tariq said, "I have to go and let my friends know about this."

Tariq, happy, ran and told his friends.

One of his friends said, "But we don't have anyone who sells sugarcane juice here."

Tariq replied, "No problem. We'll plant sugarcane on some land, but the problem is that my father's land is too small."

Someone else from the team said, "My father has spacious land, and we can find a spot there to plant [the sugarcane]."

"Okay. Deal, then!"

فِي الْيَوْمِ التّالي، ذَهَبَ الْفَريقُ إِلى الأَرْضِ الَّتي سَيَزْرَعونَها، وَقاموا بِزْرْعِها بِقَصَبِ السُّكَّرِ بِالْكامِلِ، وَعَمِلوا جَميعًا في الأَرْضِ.

❖ ❖ ❖

مَرَّتِ الأَيّامُ وَ بَدَأَ قَصَبُ السُّكَّرِ يَنْمو وَيَنْمو.

قالَ طارِقُ ذاتَ مَرَّةٍ: "سَنَهْزِمُهُمْ أَخيرًا!"

أَجابَ أَحَدُ أَعْضاءِ الْفَريقِ: "إِذا كانَ هَذا هُوَ السِّرُّ... حَسَنًا، فَقَدْ تَمَّ الْكَشْفُ عَنِ السِّرِّ الآنَ."

نادى أَحَدُ أَصْدِقاءِ طارِقَ بِصَوْتٍ عالٍ: "اُنْظُرْ، اُنْظُرْ! هُناكَ بَعْضُ قَصَبِ السُّكَّرِ الْمَكْسورِ وَ الْمَسْروقِ! كانَ قَصَبُ السُّكَّرِ طَويلًا، والآنَ هُوَ قَصيرٌ!"

رَكَضَ الْفَريقُ بِأَكْمَلِهِ نَحْوَ صَديقِهِمْ وَنَظَروا إِلى قَصَبِ السُّكَّرِ الْمَكْسورِ.

قالَ طارِقُ: "بِالطَّبْعِ، هُمْ وَراءَ ذَلِكَ... لَقَدْ عَرَفوا بِالتَّأْكيدِ أَنَّنا عَرَفْنا سِرَّهُمْ، وَلِهَذا السَّبَبِ جاءوا وَسَرَقوهُ. الآنَ أَنا مُتَأَكِّدٌ مِنْ أَنَّ السِّرَّ مَوْجودٌ بِالْفِعْلِ في قَصَبِ السُّكَّرِ."

The next day, the team went to the land on which they would plant [the sugarcane], and they planted it with sugarcane in its entirety, and they all worked the land.

The days passed as the sugarcane started growing and growing.

One time, Tariq said, “We’ll finally beat them!”

One of the team members replied, “If this is the secret... well, then now the secret is out.”

One of Tariq’s friends called with a loud voice, “Look, look! There’s some broken sugarcane and [it seems to have been] stolen! The sugarcane used to be tall, and now it’s short!”

The whole team ran towards their friend and looked at the broken sugarcane.

Tariq said, “Of course, they’re behind it... they definitely knew that we were in on their secret, and that’s why they came and stole it. Now I’m certain that the secret is really in the sugarcane.”

أَجابَ صَديقُ طارِقٍ: "وَهَلْ نَصمُتُ حَتّى يُدمِّروا قَصَبَنا كُلَّهُ؟"

"اِسمَعْ، سَأتَحَدَّثُ إلى البَوّابِ وَأقولُ لَهُ أنْ يَحْرُسَ الأرْضَ حَتّى يَنْموَ قَصَبُ السُّكَّرِ وَنأْخُذَهُ."

قالَ صَديقُ طارِقٍ: "فِكْرَةٌ جَيِّدَةٌ!"

❖ ❖ ❖

ذَهَبَ طارِقُ إلى المَنْزِلِ مُتْعَبًا وَعَطِشًا.

قالَتْ والِدَةُ طارِقَ: "اِغْسِلْ يَدَيْكَ الآنَ يا طارِقُ! لَقَدْ طَهَيْتُ اليَوْمَ بَعْضَ اللَّحمِ الَّذي سَيُعْجِبُكَ كَثيرًا!"

قالَ طارِقُ: "نَعَمْ أُريدُ أيَّ نَوْعٍ مِنَ الدَّجاجِ أوِ اللَّحْمِ لِأنَّ المُباراةَ بَعْدَ يَوْمَيْنِ وَيَجِبُ أنْ أكونَ قَوِيًّا!"

❖ ❖ ❖

بَعْدَ ذَلِكَ، في غُضونِ أيّامٍ قَليلَةٍ، ذَهَبَ طارِقُ وَأصْدِقاؤُهُ لِجَمْعِ قَصَبِ السُّكَّرِ.

قالَ صَديقُ طارِقٍ لِطارِقٍ: "بِصَراحَةٍ، لَوْلا البَوّابُ، لَكانَ قَصَبُ السُّكَّرِ قَدْ أُخِذَ كُلُّهُ!"

Tariq's friend replied, "And? Will we stay quiet until they destroy all of our sugarcane?"

"Listen, I'll talk to the doorman and tell him to guard the land until the sugarcane is grown and we take it."

Tariq's friend said, "Good idea!"

Tariq went home, tired and thirsty.

Tariq's mother said, "Wash your hands, now, Tariq! I cooked some beef today that you'll like very much!"

Tariq said, "Yes, I want any kind of chicken or beef because the match is in two days, and I have to be strong!"

Afterward, in the space of a few days, Tariq and his friends went to collect the sugarcane.

Tariq's friend said to Tariq, "Honestly, if it wasn't for the doorman, the sugarcane would have all been taken!"

ذَهَبَ طارِقُ إِلى الْبَوّابِ: "شُكْرًا لَكَ عَمّي. عَلَيْنا أَنْ نَطْلُبَ مِنْكَ أَنْ تَأْتِيَ وَتَتَناوَلَ بَعْضَ عَصيرِ قَصَبِ السُّكَّرِ لِأَنَّنا أَجْهَدْناكَ أَكْثَرَ مِنَ اللّازِمِ."

أَجابَ الْبَوّابُ: "لا تَقْلَقْ."

بَدَأَ أَصْدِقاءُ طارِقٍ في صُنْعِ عَصيرِ قَصَبِ السُّكَّرِ وَشَرِبوهُ حَتّى انْتَهَوْا مِنْهُ. وَذَهَبوا إِلى الْمُباراةِ.

قالَ طارِقُ لِصَديقِهِ: "هَذِهِ الْمَرَّةَ لَيْسَ لَدَيْنا عُذْرٌ. يَجِبُ أَنْ نَفوزَ يَعْني يَجِبُ أَنْ نَفوزَ!"

لَعِبَ فَريقُ طارِقٍ الْمُباراةَ، وَكانوا يَلْعَبونَ بِشَكْلٍ جَيِّدٍ، لَكِنَّهُمْ تَعادَلوا.

وَعِنْدَما غادَروا الْمَلْعَبَ، قالَ طارِقُ: "أَرَدْتُ كَثيرًا أَنْ نَفوزَ. ما الَّذي يُمْكِنُنا فِعْلُهُ أَيْضًا؟ لَقَدْ فَعَلْنا كُلَّ شَيْءٍ."

رَدَّ صَديقُ طارِقَ: "عَلى الْأَقَلِّ لَمْ نَخْسَرْ مِثْلَ كُلِّ مَرَّةٍ. لا تَنْزَعِجْ. كُنْ سَعيدًا."

Tariq went to the doorman, "Thanks, Uncle. We have to ask you to come and have some sugarcane juice as we have overworked you."

The doorman replied, "Don't worry about it."

Tariq's friends started making the sugarcane juice and drank it until they finished it. And they went to the match.

Tariq said to his friend, "This time, we have no excuse. We either win or we win!"

Tariq's team played the match, and they were playing well, but they tied.

And when they left the field, Tariq said, "I wanted to win so much. What else can we do? We've done everything."

Tariq's friend replied to him, "At least we didn't lose like every time. Don't be so upset. Be content."

قالَ عُضْوٌ آخَرُ مِنْ أَعْضاءِ الْفَريقِ: "عَلاوَةً عَنْ ذَلِكَ، مِنَ الْجَيِّدِ أَنَّنا تَعادَلْنا. لَقَدْ كانوا يَصْنَعونَ عَصيرَ قَصَبِ السُّكَّرِ لِفَتْرَةٍ طَويلَةٍ، وَهَذِهِ هِيَ الْمَرَّةُ الأولى لَنا. مِنَ الطَّبيعِيِّ أَنَّهُمْ أَفْضَلُ مِنّا."

قالَ طارِقُ: "هَلْ هَذا يَعْني أَنَّنا نَسْتَسْلِمُ؟ هَلْ هَذا يَعْني أَنَّنا لا نُحاوِلُ الْفَوْزَ؟"

أَجابَ صَديقُ طارِقٍ: "فَقَطِ اهْدَأْ وَلا تَنْزَعِجْ. في الْحَياةِ، هُناكَ أَيّامٌ جَميلَةٌ وَأَيّامٌ سَيِّئَةٌ."

"لَكِنَّ أَيّامَ فَريقِنا كُلُّها مُظْلِمَةٌ."

❖ ❖ ❖

ذَهَبَ الْفَريقُ إِلى مَقْهى الْعَمِّ مُحَمَّدٍ.

سَأَلَهُمِ العَمُّ مُحَمَّدٌ: "قولوا لي ماذا فَعَلْتُمْ؟"

"تَعادَلْنا."

فَقالَ الْعَمُّ مُحَمَّدٌ: "حَسَنًا، مَبْروكٌ! لِماذا أَنْتُمْ مُسْتاؤونَ إِذَنْ؟"

Another of the team members said, “Besides, it’s a good that we tied. They have been making sugarcane juice for a long time, and this is our first time. It’s only natural that they’re better than us.”

Tariq said, “Does that mean we surrender? Does that mean we don’t try to win?”

Tariq’s friend replied, “Just calm down and don’t get so upset. In life, there are good days and bad days.”

“But our team’s days are all dark.”

The team went to Uncle Muhammad’s coffee shop.

Uncle Muhammad asked them, “Tell me, how did you do?”

“We tied.”

Uncle Muhammad said, “Okay, congratulations! Why are you upset then?”

أجابَ طارِقُ: "أرَدْنا الفَوْزَ... لكِنَّهُم كانوا يَصْنَعونَ عَصيرَ قَصَبِ السُّكَّرِ مُنْذُ فتْرَةٍ طَويلَةٍ، وَهَذِهِ هِيَ المَرَّةُ الأولى لَنا."

"إِذَنْ، المُشْكِلَةُ هِيَ أَنَّهُمْ كانوا يَصْنَعونَهُ لِفَتْرَةٍ طَويلَةٍ، وَأَنْتُمْ بَدَأتُمْ لِلتَّوِّ؟"

أَجابَ صَديقُ طارِقٍ: "نَعَمْ يا عَمّي، نَحْنُ نَتَدَرَّبُ أَكْثَرَ مِنْهُم، وَنَسْتَحِقُّ الفَوْزَ."

قالَ العَمُّ مُحَمَّدٌ: "حَسَنًا، ما رَأْيُكُمْ أَنْ أُحْضِرَ لَكُمُ القَهْوَةَ؟ إِنَّها تَمْنَحُ الطّاقَةَ،، كَما أَنّي أَقومُ بِذَلِكَ لِمُدَّةِ 30 عامًا، يَعْني مُنْذُ وَقْتٍ طَويلٍ جِدًّا."

نَظَرَ طارِقُ إِلى أَصْدِقائِهِ وابْتَسَمَ.

قالَ طارِقُ: "هَذِهِ فِكْرَةٌ جَيِّدَةٌ جِدًّا يا عَمّي!"

قالَ العَمُّ مُحَمَّدٌ: "حَسَنًا، قَبْلَ أَنْ تَذْهَبوا إِلى المُباراةِ التّالِيَةِ، تَعالَوا إِلى هُنا حَتّى أَتَمَكَّنَ مِنْ إِعْطائِكُمُ القَهْوَةَ."

فَقالَ طارِقُ: "شُكْرًا جَزيلًا عَمّي!"

تَرَكَهُمِ العَمُّ مُحَمَّدٌ وَهُوَ يَضْحَكُ وَعادَ إِلى المَقْهى.

Tariq replied, “We just wanted to win... but they’ve been making the sugarcane juice for a long time, and this is our first time.”

“So, the problem is that they’ve been making it for a long time, and you just started [making it]?”

Tariq’s friend replied, “Yes, Uncle, we train more than them, and we deserve to win.”

Uncle Muhammad said, “Okay, how about I make for you some coffee? It gives energy, and at the same time, I’ve been doing it for 30 years, so it’s been a very long time.”

Tariq looked at his friends and smiled.

Tariq said, “That’s a very good idea, Uncle!”

Uncle Muhammad said, “Okay, before you go to the next match, drop by here so I can give you the coffee.”

Tariq said, “Thank you very much, Uncle!”

Uncle Muhammad left them as he was laughing and went back into the coffee shop.

ذَهَبَ الْعَمُّ مُحَمَّدٌ إِلى إِسْماعيلَ وَقالَ لَهُ: "هَلْ يُعْجِبُكَ هَذا يا إِسْماعيلُ؟ ابْنُكَ أَصْبَحَ مَجْنونًا بِكُرَةِ الْقَدَمِ."

أَجابَ إِسْماعيلُ: "وَاللهِ يُحِبُّها مِنْ كُلِّ قَلْبِهِ وَروحِهِ."

وَتابَعَ حَديثَهُ وَقالَ: "أَلْقِ نَظْرَةً عَلى ما في هَذِهِ الْجَريدَةِ يا عَمُّ مُحَمَّدٍ."

"قُلْ لي ماذا قَرَأْتَ؟"

"هُناكَ مَبْنىً شاهِقًا لِلْغايَةِ سَيَتِمُّ بِناؤُهُ وَسَيَكونُ أَطْوَلَ بُرْجٍ في مِصْرَ."

"نَعَمْ هَكَذا، قُلِ الأَخْبارَ السّارَّةَ الَّتي تَجْعَلُنا سُعَداءَ."

"وَاللهِ يا عَمُّ مُحَمَّدٍ، أَنا سَعيدٌ مُنْذُ أَنْ قَرَأْتُ هَذا الْخَبَرَ. أَصْبَحَتِ الْمَدينَةُ الآنَ جَميلَةً."

❖ ❖ ❖

ذَهَبَ طارِقُ وَرِفاقَهُ في الْيَوْمِ التّالي وَشَرِبوا عَصيرَ قَصَبِ السُّكَّرِ وَالْقَهْوَةِ. ثُمَّ ذَهَبوا إِلى الْمُباراةِ.

قالَ صَديقُ طارِقٍ: "أَشْعُرُ أَنَّني قَوِيٌّ جِدًّا."

Uncle Muhammad went over to Ismail and said to him, "Happy, Ismail? Your son has become crazy about soccer."

Ismail replied, "By God, he loves it with all his heart and soul."

He continued speaking and said, "Take a look at what's in this newspaper, Uncle Muhammad."

"Tell me, what did you read?"

"There's a very tall building that's going to be built and will be the tallest tower in Egypt."

"Yes, some good news for a change to make us happy."

"By God, Uncle Muhammad, I've been happy since I read this news. The town has now become beautiful."

Tariq and his friends went the next day and drank the sugarcane juice and the coffee. And then went to the match.

Tariq's friend said, "I feel that I'm very strong."

قالَ طارِقُ: "آهْ، نَعَمْ، هَذا ما نُريدُهُ بِالضَّبْطِ."

بَدَأَتِ الْمُباراةُ وَكانَ فَريقُ طارِقٍ قَوِيًّا وَأَفْضَلَ مِنَ الْفَريقِ الآخَرِ. اِصْطَدَمَ طارِقٌ بِأَحَدِهِمْ وَسَقَطَ دونَ قَصْدٍ. سَحَبَ الْحَكَمُ الْبِطاقَةَ الْحَمْراءَ وَقالَ: "أَنْتَ! اُخْرُجْ يا طارِقُ!"

قالَ طارِقُ مُحْتارًا: "كَيْفَ؟! لَمْ أَقْصِدْ... حَتّى أَنَّني لَمْ أَحْصُلْ عَلى الْبِطاقَةِ الصَّفْراءِ أَوَّلًا!"

قالَ الْحَكَمُ: "لا، لَقَدِ اصْطَدَمْتَ بِهِ بِشِدَّةٍ. اُخْرُجْ! الآنَ!"

غادَرَ طارِقُ الْمَلْعَبَ. "أُقْسِمُ بِاللهِ، هَذا غَيْرُ عادِلٍ!"

ظَلَّ طارِقُ يَدْعَمُ فَريقَهُ وَيُشَجِّعُهُمْ. سَجَّلوا هَدَفًا، وَكانَ فَريقُ طارِقٍ هُوَ الْفائِزُ. بِمُجَرَّدِ أَنْ سَجَّلوا هَدَفًا... قالَ طارِقُ بِصَوْتٍ عالٍ: "جول! أَنا سَعيدٌ جِدًّا. لا تُحاوِلوا أَنَّ تَخْسَروا هَذِهِ الْمُباراةِ! أَنْتُمُ الأَقْوى!"

اِنْتَهَتِ الْمُباراةُ وَانْتَصَرَ فَريقُ طارِقٍ. اِسْتَمَرّوا في الاحْتِفالِ وَالرَّقْصِ وَالْغِناءِ.

Tariq said, "Oh, yes! That's just what we want."

The match started... and Tariq's team was strong and better than the other team. Tariq bumped into one [of the players] and unintentionally made him fall. The referee pulled out a red card and said, "You're out, Tariq!"

Tariq said, confused, "How?! I didn't mean to... I didn't even get a yellow card first!"

The referee said, "No, you ran into him hard. Out! Now!"

Tariq left the field. "I swear, this is so unfair!"

Tariq kept supporting his team and calling them. They scored a goal, and Tariq's team was the winning [team]. Once they scored a goal... Tariq said in a loud voice, "Goooaaal! I'm very happy. Don't you dare lose this match! You're stronger!"

The match ended, and Tariq's team won. They kept celebrating and dancing and singing.

❖ ❖ ❖

ذَهَبَ الصَّبِيُّ الصَّغيرُ إلى المَقْهى بِسُرعَةٍ. ظَلَّ الصَّبِيُّ يَقْفِزُ وَهُوَ يَقولُ: "لَقَدْ فُزْنا! لَقَدْ فُزْنا! هَذا رائِعٌ!"

ثُمَّ جاءَ طارِقٌ وَأَصْدِقائَهُ وَجَلَسوا جَميعًا في المَقْهى.

قالَ العَمُّ مُحَمَّدٌ: "بِما أَنَّكُمْ فُزْتُمْ هَكَذا، فَأَنا أَدْعوكُمْ جَميعًا لِتَناوُلِ القَهْوَةِ، لِأَنَّكُمْ جَعَلْتُموني سَعيدًا وَفَخورًا بِكُمْ."

فَأَجابَ طارِقُ: "أَخيرًا أَنا وَاللهِ سَعيدٌ جِدًّا يا عَمّي مُحَمَّدُ."

شَرِبَ الفَريقُ القَهْوَةَ.

نادى عَلَيْهِمْ إِسْماعيلُ وَقالَ: "ما هَذا؟ تَعالَوا!"

أَجابَ طارِقُ: "ما الَّذي يَحْدُثُ يا أَبي؟"

"يُقالُ هُنا إِنَّهُمْ سَيُحَوِّلونَ بَلْدَتَنا وَالبَلْدَةَ المُجاوِرَةَ لَنا إِلى بَلْدَةٍ واحِدَةٍ!"

"هَلْ تَقْصِدُ المَدينَةَ الَّتي هَزَمْناها؟"

"نَعَمْ، عَلى الأَرْجَحِ."

❖ ❖ ❖

The little boy went to the coffee shop quickly. The boy kept jumping as he was saying, “We won! We won! Yay!”

Then came Tariq and his friends, and they all sat in the coffee shop.

Uncle Muhammad said, “Since you’ve won in this way, I’m inviting you all to have coffee, on the house, because you’ve made me happy and proud of you.”

Tariq replied, “Finally! Me too, by God! I’m so happy, Uncle Muhammad.”

The whole team drank coffee.

Ismail called to them and said, “What’s this? Listen up!”

Tariq replied, “What’s going on, Dad?”

“It says here that they’ll make our town and the town next to us into one municipality!”

“Do you mean the town that we beat?”

“Yes, probably.”

قالَ طارِقُ: "لا، هَيّا! فَقَطْ عِنْدَما هَزَمْناهُمْ سَيَجْعَلونَنا فَريقًا واحِدًا!"

قالَ الْعَمُّ مُحَمَّدٌ: "طارِقُ، كُنْ ذَكِيًّا. حالِيًّا، هُمْ يَصْنَعونَ عَصيرَ قَصَبِ السُّكَّرِ أَفْضَلَ مِنّا، وَنَحْنُ نَصْنَعُ الْقَهْوَةَ أَفْضَلَ مِنْهُمْ. هَلْ تَعْرِفُ ماذا يَعْني هَذا؟"

سَأَلَ طارِقُ: "ما مَعْنى ذَلِكَ؟"

"هَذا يَعْني أَنَّكَ سَتَأْخُذُ الأَشْياءَ الْجَيِّدَةَ مِنْ كِلْتا الْمَدينَتَيْنِ، وَبِالتّالي سَتُصْبِحونَ فَريقًا أَقْوى بِكَثيرٍ."

ظَلَّ طارِقُ يُفَكِّرُ...

قالَ صَديقُ طارِقٍ: "أَنْتَ عَلى حَقٍّ يا عَمُّ مُحَمَّدٍ!"

❖ ❖ ❖

بَعْدَ أَيّامٍ وَأَيّامٍ وَأَيّامٍ...

تَحَوَّلَتِ الْمَدينَتانِ إِلى بَلْدَةٍ واحِدَةٍ كَبيرَةٍ. وَتَحَوَّلَ الْفَريقانِ الصَّغيرانِ إِلى فَريقٍ واحِدٍ كَبيرٍ وَقَوِيٍّ. وَفازوا بِالْبُطولَةِ، وَحَصَلَ اللّاعِبونَ أَيْضًا عَلى ميدالِيّاتٍ.

Tariq said, “Oh, come on! Only when we’ve beaten them, they have to make us one team!”

Uncle Muhammad said, “Tariq, be smart. Currently, they make sugarcane juice better than we do, and we make coffee better than they do. Do you know what this means?”

Tariq asked, “What does it mean?

“It means you’ll be taking the good stuff from both towns, and so will become a much stronger team.”

Tariq kept on thinking...

Tariq’s friend said, “You’re right, Uncle Muhammad!”

After days and days and days...

The two towns turned into one big town. And the two small teams turned into one big and strong team. They won the championship, and the players received medals, too.

ثُمَّ ذَهَبوا إلى مَحَلِّ عصيرِ قَصَبِ السُّكَّرِ وَإلى المَقْهى وَتَرَكوا الْميدالِيّاتَ في كِلا الْمَكانَيْنِ.

وَعِنْدَما ذَهَبوا إلى الْمَقْهى، قالَ طارِقٌ: "شُكْرًا لَكَ يا عَمُّ مُحَمَّدٍ. لَوْلاكَ لَما انْتَصَرْنا بِهَذِهِ الطَّريقَةِ!"

أَجابَ الْعَمُّ مُحَمَّدٌ: "شُكْرًا لِأَصْدِقائِكَ أَيْضًا. كَيْفَ عَرَفْتُمْ أَنَّ عَصيرَ قَصَبِ السُّكَّرِ مُهِمٌّ؟"

نادى صَديقُ طارِقٍ العَمَّ مُحَمَّدٍ وَقالَ: "أَلَنْ تَحْتَفِلَ مَعَنا يا عَمُّ مُحَمَّدٍ كَكُلِّ مَرَّةٍ أَمْ ماذا؟"

قالَ صاحِبُ مَحَلِّ عَصيرِ الْقَصَبِ: "لا، لا، لا، هَذِهِ الْمَرَّةُ عَلَيَّ أَنا. أَنْتُمْ مَدْعُوّونَ لِلْحُصولِ عَلى أَفْضَلِ عَصيرِ قَصَبِ السُّكَّرِ!"

ضَحِكَ الْفَريقُ كُلُّهُ والْعَمُّ مُحَمَّدٌ وَذَهَبوا إلى مَحَلِّ عَصيرِ قَصَبِ السُّكَّرِ لِشُرْبِ عَصيرِ قَصَبِ السُّكَّرِ.

ثُمَّ رَأى صاحِبُ مَحَلِّ عَصيرِ قَصَبِ السُّكَّرِ الطِّفْلَ الصَّغيرَ.

نَظَرَ إِلَيْهِ صاحِبُ الْمَحَلِّ وَقالَ: "آه! أَنْتَ مَرَّةً أُخْرى؟"

Then they went to the sugarcane juice and coffee shops and left the medals at both places.

And when they went to the coffee shop, Tariq said, "Thank you, Uncle Muhammad. If it hadn't been for you, we wouldn't have won in this way!"

Uncle Muhammad replied, "Thank your friends, too. How did you come to know that the sugarcane juice is important?"

Tariq's friend called Uncle Muhammad and said, "Won't you celebrate with us, Uncle Muhammad, like every time?"

The owner of the cane juice shop said, "No, no, no, this one's on me. You're all invited to have the best sugarcane juice!"

The whole team and Uncle Muhammad laughed and went to the sugarcane juice shop to drink the sugarcane juice.

Then, the owner of the sugarcane juice shop saw the little boy.

The shop owner looked at him and said, "Ah! You again?"

ضَحِكَ الطِّفْلُ الصَّغيرُ وَشَرِبَ الْعَصيرَ وَهَرَبَ.

قالَ طارِقُ: "تَعالَ إِلى هُنا! تَعالَ إِلى هُنا! لا تَرْحَلْ! إِلى أَيْنَ أَنْتَ ذاهِبٌ؟" وَرَكَضَ وَراءَهُ وَأَمْسَكَ بِهِ.

قالَ لَهُ طارِقٌ: "هَلْ تَهْرُبُ في كُلِّ مَرَّةٍ تَشْرَبُ فيها عَصيرَ قَصَبِ السُّكَّرِ، أَمْ ماذا؟ تَعالَ الآنَ، لِنَأْخُذَ صورَةً كُلُّنا."

وَأَخَذوا جَميعًا صورَةً تِذْكارِيَّةً.

The little boy laughed, drank the juice, and ran out.

Tariq said, “Come here! Come here! Don’t leave! Where are you going?” And he ran after him and caught him.

Tariq said to him, “Do you have to run away every time you drink sugarcane juice, or what? Come now, we’re all taking a photo.”

And they all took a commemorative photo.

Arabic Text without Tashkeel

For a more authentic reading challenge, read the story without the aid of diacritics (tashkeel) and the parallel English translation.

سر النجاح

في صباح يوم الجمعة، ذهب العم محمد، صاحب المقهى، إلى المسجد ولمح ولدا صغيرا.

قال الطفل: "يا عمي أين المسجد؟"

أجاب العم محمد: "انظر، سوف تمشي إلى نهاية هذا الشارع وتنعطف يمينا، وبعد ذلك بشارعين، ستنعطف يمينا مرة أخرى، وستجده."

"شكرا عمي!"

قال العم محمد: "انتظر، انتظر! أنا ذاهب هناك. تعال معي."

أجاب الطفل: "شكرا لك عمي. هل تذهب كل يوم؟"

قال العم محمد: "لا، صلاة الجمعة هي يوم في الأسبوع. أليس من العار أنك كبير ولا تعرف عدد مرات صلاة الجمعة في الأسبوع؟ أم أنك لا زلت صغيرا؟"

فأجاب الطفل: "لا، لا، لا، أنا لست صغيرا. عمري عشر سنوات كاملة."

ضحك العم محمد وقال: "حسنا، تعال بسرعة، قبل أن تفوتنا الصلاة."

ذهب العم محمد والطفل إلى المسجد، وجلس الطفل بجانب العم محمد وصلى. وعندما خرجا معا من المسجد، سأله العم محمد: "حسنا، هل أحببت الخطبة؟"

فأجاب الطفل: "نعم، هذه المرة المليون التي يلقي فيها نفس الخطبة!"

"لا! انتبه في المرة القادمة لأنه يقول شيئا جديدا."

"في المرة القادمة!" هرب الطفل.

❖ ❖ ❖

التقى العم محمد بإسماعيل في الطريق. إسماعيل هو صاحب عربة فول في نفس الحي، وكلاهما يفتحان دكاكينهما معا كل يوم.

سأله العم محمد: "كيف حالك يا إسماعيل؟ كيف الحال؟"

أجاب إسماعيل: "الحمد لله يا عم محمد، كل شيء على ما يرام."

العم محمد: "حسنا، من الأفضل ألا تتأخر عن العمل."

"سأبدأ العمل الآن. لكنني سأعود إلى المنزل أولا. أعطني خمس دقائق فقط."

صعد إسماعيل إلى شقته، التي كانت بجوار مقهى العم محمد، لكنه تأخر ولم ينزل.

تجمع الناس حول عربة الفول وكانوا ينتظرون إسماعيل لينزل حتى يتمكنوا من تناول الطعام من عربة الفول مثل كل يوم.

لكنه لم ينزل على الإطلاق.

قال أحد الناس: "يا عم محمد، لماذا لا تتصل بالعم إسماعيل؟ الناس يريدون أن يأكلوا."

قال العم محمد: "اهدأوا جميعا. قد تكون هناك مشكلة. أنا متأكد من أنه سينزل بعد قليل."

مرت ساعة، ساعتان، ثلاث، واختفى الناس. كان العم محمد قلقا على إسماعيل.

نادى العم محمد البواب وقال: "اصعد لترى لم لم ينزل إسماعيل."

صعد البواب إلى البيت. وهو أيضا لم ينزل، وحتى إسماعيل لم ينزل.

بدأ العم محمد في القلق وصعد بسرعة إلى بيت إسماعيل.

رأى العم محمد البواب عند الباب وسأله: "لماذا لم تخبر إسماعيل أن ينزل؟"

فقال البواب: "والله يا عمي محمد طرقت الباب ولكن لم يجبني أحد."

"أوه، لا! حسنا، هناك بالتأكيد مشكلة."

كان العم محمد والبواب يطرقان الباب بقوة.

نادى العم محمد: "هل من أحد هناك؟!"

فتح إسماعيل الباب.

قال العم محمد: "ما هذا يا إسماعيل؟ لقد أخفتنا عليك. لم تنزل منذ وقت طويل، وغادر الناس."

أجاب إسماعيل: "لا بأس يا عم محمد. ابني طارق لم يذهب للصلاة وهو مستاء منذ الأمس."

"أوه، هل الموضوع كبير أم ماذا؟"

"ادخل وتحدث معه. ربما يمكنك فهمه."

دخل العم محمد إلى طارق وسأله: "ما بك يا بني؟ ما الأمر؟ ما الذي يضايقك؟"

لم يرد طارق.

قال العم محمد: "أخبرني حتى أتمكن من مساعدتك. ما الذي يضايقك؟"

أجاب طارق أخيرا: "انظر يا عم محمد، بصراحة، لم نكن قادرين على جعلكم تفتخرون بنا."

"نفتخر بكم في ماذا يا طارق؟"

"كل مباراة نلعبها نخسرها. لم نتعادل ولا مرة واحدة."

"وما المشكل؟ اللعب هو فوز وخسارة."

"لا، يا عم محمد، الموضوع كبير، وليس صغير كما تعتقد."

قال العم محمد: "أنت وأصدقاؤك بحاجة إلى مزيد من التدريب والذهاب إلى صالة الألعاب الرياضية المجاورة للملعب."

"في الواقع، فريقنا ضعيف للغاية، على الرغم من أننا كثيرون ولدينا عدد كبير من اللاعبين."

قال العم محمد: "الأرقام ليست كل شيء. عليك أن تكون قويا في الميدان... ولا تبقى منزعجا كثيرا هكذا."

"حسنا يا عمي." ذهب طارق إلى والده وقال: "آسف يا أبي."

ربت إسماعيل عليه وقال له: "لا تقلق يا بني. المهم الآن أن تخبر أصدقائك أن يذهبوا إلى صالة الألعاب الرياضية، تماما كما أخبرك العم محمد."

قال العم محمد: "هذا يكفي يا إسماعيل. اترك الولد وشأنه. إنه كبير ويتفهم."

نزل العم محمد وإسماعيل إلى المقهى.

قال إسماعيل: "ما رأيك أن نذهب إلى المزرعة ونتجول قليلا؟"

أجاب العم محمد: "حسنا، لنذهب. أوه، وأخبرني، ما الذي تزرعه هذه السنة؟"

"هذا يعتمد على ما يريده السوق، ولكن في الغالب الفول لعربة الفول الخاصة بي."

"في الواقع يا إسماعيل. عربة الفول الخاصة بك لها طعم مختلف. ليباركك الله."

"شكرا لك يا عم محمد."

بدآ بالسير في الشارع الواسع بينما كان الأطفال الصغار يطاردون بعضهم البعض.

قال العم محمد: "أتعرف، يا إسماعيل... لو كان ابني هنا، لكان سعيدا جدا الآن."

أجاب إسماعيل: "لماذا؟"

"ألا ترى منظر السماء؟ ابني يحب التقاط الصور ويحب التقاط الصور للسماء والشمس وما إلى ذلك."

"نعم، بصراحة غروب الشمس جميل للغاية هنا. لون الأشجار الأخضر ولون السماء الأزرق مريح للعين."

قال العم محمد: "خصوصا عندما يكون الجو هادئا."

جاء الصبي الصغير الذي كان يصلي مع العم محمد وظل يضرب على ظهر العم محمد وقال: "عمي يا عمي!"

قال العم محمد: "مرحبا!"

"أتذكرني؟" سأل الصبي.

"بالطبع، أنا أتذكرك!"

قال إسماعيل: "من هذا يا عم محمد؟"

"هذا فتى لطيف كان يصلي معنا."

سأل الطفل الصغير: "لماذا كانت الشمس برتقالية بالأمس، والآن لونها أصفر؟ وفي الصباح كان لونها أبيض، أليس كذلك؟"

أجاب العم محمد: "اللونان البرتقالي والأصفر يكونان في وقت شروق الشمس وغروبها. أما اللون الأبيض فهو عند الظهر أو الظهيرة."

قال الصبي: "أوه! فهمت، فهمت. حتى لا نشعر بالملل من لون واحد!"

ضحك العم محمد وإسماعيل مع الصبي.

جمع طارق رفاقه وقال لهم: "انظروا الآن، علينا أن نفوز بالمباراة القادمة مهما حدث."

قال أحد أعضاء الفريق: "حسنا، نقول ذلك في كل مرة. ماذا سيتغير؟ سنخسر مرة أخرى."

قال طارق: "هيا، كن شجاعا! سنتدرب ونذهب إلى صالة الألعاب الرياضية، ونصبح أقوياء، ونفوز!"

قال شخص آخر من الفريق: "بصراحة، أنا خائف من لعبهم مرة أخرى. كل واحد منهم طويل وعريض وضخم، وأشعر أننا ضعفاء."

أجاب طارق: "بالمناسبة، لدينا أيضا أشخاصا كبارا. والذين سيتدربون أكثر سيفوزون، وسنكون الفائزين! اتفقنا؟"

قال جميع أصدقاء طارق: "نحن متفقون!"

ذهب طارق مع أصدقائه إلى صالة الألعاب الرياضية، وظلوا يتدربون كل يوم حتى حان موعد المباراة.

"هيا، اليوم النصر لنا! هيا، هيا بسرعة، أو سوف نتأخر!"

ركض الصبي الصغير نحوهم وقال لهم: "هل يمكنني أن آتي معكم؟"

قال طارق: "لا، لا تستطيع."

"لكني ألعب بشكل جيد، أقسم بالله."

"بني، أنت صغير جدا... ابتعد الآن. ستتأذى."

قال الطفل: "حسنا، سأحضر وأشاهد فقط. لن أصدر صوتا."

قال طارق: "حسنا، تعال!"

ذهب الفريق في طريقه إلى الملعب، وسار الطفل الصغير معهم.

قال الطفل الصغير: "لماذا يرتدي جميعكم قمصانا برتقالية؟"

أجاب طارق: "حتى نتعرف على بعضنا البعض عندما نلعب. نرتدي اللون البرتقالي والآخرون يرتدون اللون الأزرق."

قال الطفل: "هل تعلم أن اللون البرتقالي هو نفس لون الشمس؟"

"حسنا... الآن، اصمت حتى نتمكن من التركيز قبل المباراة."

وظلوا يمشون ويمشون حتى قال الطفل: "آه، لما الطريق طويل هكذا؟"

أجاب طارق: "لقد أوشكنا على الوصول. الملعب بجوار تلك الشجرة الكبيرة هناك."

قال الطفل: "واو! لقد اتضح أن الملعب واسع للغاية!"

فقال له طارق: "انظر، اجلس هنا ولا تتحرك. شاهد فقط."

"حسنا."

بدأت المباراة بين الفريقين، وكان فريق طارق يلعب بشكل جيد. ومع ذلك، كان الفريق الآخر أقوى. وخسر فريق طارق.

قال طارق: "هذا غير ممكن! كيف يحدث هذا؟"

قال له صديق طارق: "قلت لك، من الصعب الفوز عليهم."

سار طارق مع أصدقائه وكان متضايقا. واستمر الطفل في مشاهدتهم وهم يسيرون بينما كان الفريق الثاني يضحك ويرقص. ثم ذهب ذلك الطفل الصغير وتبعهم حتى توقفوا عند محل عصير قصب السكر.

قال لاعب من الفريق الآخر: "الحمد لله، لولا عصير قصب السكر هذا لكنا نخسر كل مرة."

قال لاعب آخر: "عصير قصب السكر هو أكثر ما أحب شربه!"

قال صاحب محل عصير قصب السكر: "في أي وقت يا رفاق! ومبروك الفوز!"

ضحك الفريق بأكمله، وركض الطفل مسرعا ليخبر طارق بما رآه.

ثم أوقفه رجل عجوز. قال الرجل العجوز: "إلى أين أنت ذاهب؟"

أجاب الطفل: "أنا أعيش في الجانب الآخر، يا عمي، بجانب ذلك المبنى العالي."

سأل الرجل العجوز: "وأين والدك؟"

"أبي يعيش هناك، في شقة في هذا المبنى."

لم يصدق الرجل العجوز الصبي، فأخذه إلى محل عصير قصب السكر.

سأل الرجل العجوز: "هل يعرف أحد ابن من هذا؟"

أجاب صاحب محل عصير القصب: "لا، هذه المرة الأولى التي أراه فيها."

"حسنا، راقبه حتى أسأل صاحب المقهى عنه."

ذهب العجوز وترك الطفل الذي ظل يبحث في الدكان ووجد بجانبه كوب عصير وشربه.

صاح صاحب محل عصير قصب السكر قائلا: "ماذا شربت للتو؟ لماذا لم تسألني أولا؟ اخرج من هنا، اخرج!"

هرب الطفل من المتجر. ورآه الرجل العجوز يجري.

ذهب العجوز إلى صاحب محل عصير قصب السكر بسرعة وقال له: "لماذا تركته يذهب؟"

فأجاب صاحب محل عصير القصب: "هرب وحده."

كان بعض الناس يركضون وراء هذا الطفل، لكنه كان أسرع، ووصل إلى المنزل قبلهم.

حالما فتح باب المبنى، رأى طارق وهو متعب جدا.

سأله طارق: "لماذا تلهث هكذا؟"

فأجاب الطفل: "أنا متعب حقا."

"أخبرني بما حدث؟"

قال الطفل: "أعرف لماذا هزمكم الفريق الآخر." ثم أغمي عليه.

صاح طارق: "استيقظ! ما بك؟ ماذا حدث؟"

دعا طارق والده. وذهب إسماعيل والعم محمد إلى هذا الطفل. رشا الماء على وجهه.

وعندما استعاد الصبي وعيه، قال له العم محمد: "ما بك يا بني؟ ما الذي حدث؟"

أجاب الطفل: "ركضوا ورائي، لكنني تمكنت من الهروب."

"أحسنت! ولكن ماذا حدث؟"

"بعد أن خسرتم المباراة، تبعتهم حتى سمعتهم يتحدثون عن عصير قصب السكر وكيف أنه سبب فوزهم دائما. وهو عصير أصفر."

قال طارق: "نعم، نعم، أعرف ذلك. ذلك الأصفر. لكن هل أنت متأكد أنك سمعتهم يقولون ذلك؟"

أجاب الطفل: "نعم، وبالمناسبة، عندما شربت العصير، شعرت أنني أسرع وأنني أستطيع الهروب منهم."

قال طارق: "يجب أن أذهب وأعلم أصدقائي بهذا."

ركض طارق بسعادة وأخبر أصدقاءه.

قال أحد أصدقائه: "لكن ليس لدينا من يبيع عصير قصب السكر هنا."

أجاب طارق: "لا مشكلة. سنزرع قصب السكر في بعض الأراضي، لكن المشكلة أن أرض والدي صغيرة جدا."

قال شخص آخر من الفريق: "أبي لديه أرض واسعة، ويمكننا أن نجد مكانا هناك للزرع."

"حسنا. اتفقنا!"

في اليوم التالي، ذهب الفريق إلى الأرض التي سيزرعونها، وقاموا بزرعها بقصب السكر بالكامل، وعملوا جميعا في الأرض.

مرت الأيام و بدأ قصب السكر ينمو وينمو.

قال طارق ذات مرة: "سنهزمهم أخيرا!"

أجاب أحد أعضاء الفريق: "إذا كان هذا هو السر... حسنا، فقد تم الكشف عن السر الآن."

نادى أحد أصدقاء طارق بصوت عال: "انظر، انظر! هناك بعض قصب السكر المكسور و المسروق! كان قصب السكر طويلا، والآن هو قصير!"

ركض الفريق بأكمله نحو صديقهم ونظروا إلى قصب السكر المكسور.

قال طارق: "بالطبع، هم وراء ذلك... لقد عرفوا بالتأكيد أننا عرفنا سرهم، ولهذا السبب جاءوا وسرقوه. الآن أنا متأكد من أن السر موجود بالفعل في قصب السكر."

أجاب صديق طارق: "وهل نصمت حتى يدمروا قصبنا كله؟"

"اسمع، سأتحدث إلى البواب وأقول له أن يحرس الأرض حتى ينمو قصب السكر ونأخذه."

قال صديق طارق: "فكرة جيدة!"

ذهب طارق إلى المنزل متعبا وعطشا.

قالت والدة طارق: "اغسل يديك الآن يا طارق! لقد طهيت اليوم بعض اللحم الذي سيعجبك كثيرا!"

قال طارق: "نعم أريد أي نوع من الدجاج أو اللحم لأن المباراة بعد يومين ويجب أن أكون قويا!"

بعد ذلك، في غضون أيام قليلة، ذهب طارق وأصدقاؤه لجمع قصب السكر.

قال صديق طارق لطارق: "بصراحة، لولا البواب، لكان قصب السكر قد أخذ كله!"

ذهب طارق إلى البواب: "شكرا لك عمي. علينا أن نطلب منك أن تأتي وتتناول بعض عصير قصب السكر لأننا أجهدناك أكثر من اللازم."

أجاب البواب: "لا تقلق."

بدأ أصدقاء طارق في صنع عصير قصب السكر وشربوه حتى انتهوا منه. وذهبوا إلى المباراة.

قال طارق لصديقه: "هذه المرة ليس لدينا عذر. يجب أن نفوز يعني يجب أن نفوز!"

لعب فريق طارق المباراة، وكانوا يلعبون بشكل جيد، لكنهم تعادلوا.

وعندما غادروا الملعب، قال طارق: "أردت كثيرا أن نفوز. ما الذي يمكننا فعله أيضا؟ لقد فعلنا كل شيء."

رد صديق طارق: "على الأقل لم نخسر مثل كل مرة. لا تنزعج. كن سعيدا."

قال عضو آخر من أعضاء الفريق: "علاوة عن ذلك، من الجيد أننا تعادلنا. لقد كانوا يصنعون عصير قصب السكر لفترة طويلة، وهذه هي المرة الأولى لنا. من الطبيعي أنهم أفضل منا."

قال طارق: "هل هذا يعني أننا نستسلم؟ هل هذا يعني أننا لا نحاول الفوز؟"

أجاب صديق طارق: "فقط اهدأ ولا تنزعج. في الحياة، هناك أيام جميلة وأيام سيئة."

"لكن أيام فريقنا كلها مظلمة."

ذهب الفريق إلى مقهى العم محمد.

سألهم العم محمد: "قولوا لي ماذا فعلتم؟"

"تعادلنا."

فقال العم محمد: "حسنا، مبروك! لماذا أنتم مستاؤون إذن؟"

أجاب طارق: "أردنا الفوز... لكنهم كانوا يصنعون عصير قصب السكر منذ فترة طويلة، وهذه هي المرة الأولى لنا."

"إذن، المشكلة هي أنهم كانوا يصنعونه لفترة طويلة، وأنتم بدأتم للتو؟"

أجاب صديق طارق: "نعم يا عمي، نحن نتدرب أكثر منهم، ونستحق الفوز."

قال العم محمد: "حسنا، ما رأيكم أن أحضر لكم القهوة؟ إنها تمنح الطاقة،، كما أنني أقوم بذلك لمدة 30 عاما، يعني منذ وقت طويل جدا."

نظر طارق إلى أصدقائه وابتسم.

قال طارق: "هذه فكرة جيدة جدا يا عمي!"

قال العم محمد: "حسنا، قبل أن تذهبوا إلى المباراة التالية، تعالوا إلى هنا حتى أتمكن من إعطائكم القهوة."

فقال طارق: "شكرا جزيلا عمي!"

تركهم العم محمد وهو يضحك وعاد إلى المقهى.

ذهب العم محمد إلى إسماعيل وقال له: "هل يعجبك هذا يا إسماعيل؟ ابنك أصبح مجنونا بكرة القدم."

أجاب إسماعيل: "والله يحبها من كل قلبه وروحه."

وتابع حديثه وقال: "ألق نظرة على ما في هذه الجريدة يا عم محمد."

"قل لي ماذا قرأت؟"

"هناك مبنى شاهقا للغاية سيتم بناؤه وسيكون أطول برج في مصر."

"نعم هكذا، قل الأخبار السارة التي تجعلنا سعداء."

"والله يا عم محمد، أنا سعيد منذ أن قرأت هذا الخبر. أصبحت المدينة الآن جميلة."

ذهب طارق ورفاقه في اليوم التالي وشربوا عصير قصب السكر والقهوة. ثم ذهبوا إلى المباراة.

قال صديق طارق: "أشعر أنني قوي جدا."

قال طارق: "آه، نعم، هذا ما نريده بالضبط."

بدأت المباراة وكان فريق طارق قويا وأفضل من الفريق الآخر. اصطدم طارق بأحدهم وسقط دون قصد. سحب الحكم البطاقة الحمراء وقال: "أنت! اخرج يا طارق!"

قال طارق محتارا: "كيف؟! لم أقصد... حتى أنني لم أحصل على البطاقة الصفراء أولا!"

قال الحكم: "لا، لقد اصطدمت به بشدة. اخرج! الآن!"

غادر طارق الملعب. "أقسم بالله، هذا غير عادل!"

ظل طارق يدعم فريقه ويشجعهم. سجلوا هدفا، وكان فريق طارق هو الفائز. بمجرد أن سجلوا هدفا... قال طارق بصوت عال: "جول! أنا سعيد

جدا. لا تحاولوا أن تخسروا هذه المباراة! أنتم الأقوى!"

انتهت المباراة وانتصر فريق طارق. استمروا في الاحتفال والرقص والغناء.

ذهب الصبي الصغير إلى المقهى بسرعة. ظل الصبي يقفز وهو يقول: "لقد فزنا! لقد فزنا! هذا رائع!"

ثم جاء طارق وأصدقائه وجلسوا جميعا في المقهى.

قال العم محمد: "بما أنكم فزتم هكذا، فأنا أدعوكم جميعا لتناول القهوة، لأنكم جعلتموني سعيدا وفخورا بكم."

فأجاب طارق: "أخيرا أنا والله سعيد جدا يا عمي محمد."

شرب الفريق القهوة.

نادى عليهم إسماعيل وقال: "ما هذا؟ تعالوا!"

أجاب طارق: "ما الذي يحدث يا أبي؟"

"يقال هنا إنهم سيحولون بلدتنا والبلدة المجاورة لنا إلى بلدة واحدة!"

"هل تقصد المدينة التي هزمناها؟"

"نعم، على الأرجح."

قال طارق: "لا، هيا! فقط عندما هزمناهم سيجعلوننا فريقا واحدا!"

قال العم محمد: "طارق، كن ذكيا. حاليا، هم يصنعون عصير قصب السكر أفضل منا، ونحن نصنع القهوة أفضل منهم. هل تعرف ماذا يعني هذا؟"

سأل طارق: "ما معنى ذلك؟"

"هذا يعني أنك ستأخذ الأشياء الجيدة من كلتا المدينتين، وبالتالي ستصبحون فريقا أقوى بكثير."

ظل طارق يفكر...

قال صديق طارق: "أنت على حق يا عم محمد!"

❖ ❖ ❖

بعد أيام وأيام وأيام...

تحولت المدينتان إلى بلدة واحدة كبيرة. وتحول الفريقان الصغيران إلى فريق واحد كبير وقوي. وفازوا بالبطولة، وحصل اللاعبون أيضا على ميداليات.

ثم ذهبوا إلى محل عصير قصب السكر وإلى المقهى وتركوا الميداليات في كلا المكانين.

وعندما ذهبوا إلى المقهى، قال طارق: "شكرا لك يا عم محمد. لولاك لما انتصرنا بهذه الطريقة!"

أجاب العم محمد: "شكرا لأصدقائك أيضا. كيف عرفتم أن عصير قصب السكر مهم؟"

نادى صديق طارق العم محمد وقال: "ألن تحتفل معنا يا عم محمد ككل مرة أم ماذا؟"

قال صاحب محل عصير القصب: "لا، لا، لا، هذه المرة علي أنا. أنتم مدعوون للحصول على أفضل عصير قصب السكر!"

ضحك الفريق كله والعم محمد وذهبوا إلى محل عصير قصب السكر لشرب عصير قصب السكر.

ثم رأى صاحب محل عصير قصب السكر الطفل الصغير.

نظر إليه صاحب المحل وقال: "آه! أنت مرة أخرى؟"

ضحك الطفل الصغير وشرب العصير وهرب.

قال طارق: "تعال إلى هنا! تعال إلى هنا! لا ترحل! إلى أين أنت ذاهب؟" وركض وراءه وأمسك به.

قال له طارق: "هل تهرب في كل مرة تشرب فيها عصير قصب السكر، أم ماذا؟ تعال الآن، لناخذ صورة كلنا."

وأخذوا جميعا صورة تذكارية.

Modern Standard Arabic Readers Series

www.lingualism.com/msar

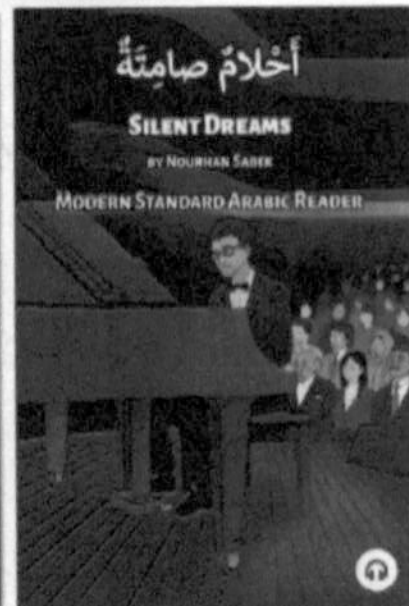

Made in United States
Troutdale, OR
07/21/2024